la petite rapporteuse de mots

Texte : Danielle Simard
Illustrations : Geneviève Côté

Les 400 coups

Nous remercions le Conseil des Arts du Canada de l'aide accordée à notre programme de publication et la SODEC pour son appui financier en vertu du Programme d'aide aux entreprises du livre et de l'édition spécialisée.

Nous reconnaissons l'aide financière du gouvernement du Canada par l'entremise du Programme d'aide au développement de l'industrie de l'édition (PADIÉ) pour nos activités d'édition.

Gouvernement du Québec – Programme de crédit d'impôt pour l'édition de livres – Gestion SODEC

La petite rapporteuse de mots
a été publié sous la direction de Paule Brière.

Design graphique : Mathilde Hébert
Révision : Marie-Josée Brière
Correction : Louise Chabalier

Diffusion au Canada
Diffusion Dimedia inc.

Diffusion en Europe
Le Seuil

Dépôt légal – 2ᵉ trimestre 2007
Bibliothèque et Archives nationales du Québec
Bibliothèque et Archives Canada

ISBN 978-2-89540-148-3

Loi 49-956 du 16 juillet 1949 sur les publications destinées à la jeunesse.

Imprimé au Canada
sur les presses de Transcontinental Métrolitho

Catalogage avant publication de Bibliothèque et Archives Canada

Simard, Danielle, 1952-
La petite rapporteuse de mots / texte, Danielle
Simard ; illustrations, Geneviève Côté.

Pour les 5-8 ans.
ISBN 978-2-89540-148-3

I. Côté, Geneviève, 1964- II. Titre.

PS8587.I287P473 2007   jC843'.54   C2006-905128-3

En souvenir des années
où je rapportais ses mots à ma mère.
Danielle

J'aurais aimé trouver ces mots-là
– et quelques autres – pour Noëlla.
Geneviève

Depuis quelque temps, ma grand-mère cherche ses mots.
Elle les perd encore plus souvent que ses clés.
On dirait qu'ils s'envolent juste pour lui jouer des tours.
Je me demande où ils vont, comme ça.

Les clés,
on finit par les découvrir
quelque part.

Mais les mots ne se cachent
ni dans le sac à main
ni au fond de l'armoire.

Comme on ne les retrouve pas vraiment,
il faut prêter les nôtres à grand-maman.

— Je ne trouve pas mes… mes…
Quand ma grand-mère dit ça, on répond aussitôt :
—Tes clés ?
On ne se trompe presque jamais,
surtout si elle fouille dans son sac.
Mais ce n'est pas toujours aussi facile.

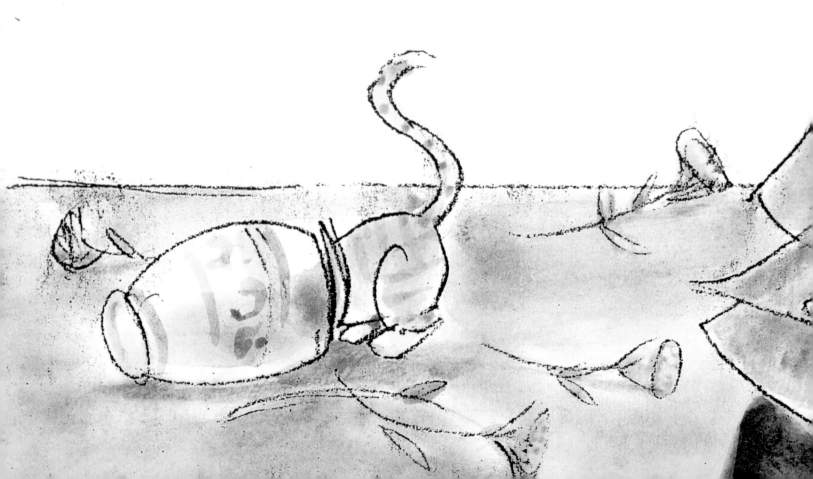

Au marché, grand-maman dit :
— Je dois acheter du… du…
Elle tourne sa main dans les airs.
Comme si elle essuyait une assiette invisible.
—Tu veux du savon à vaisselle ?
demande maman.
Mamie continue à tourner la main.
—Tu veux de la crème fouettée !
—Voyons, Nathalie ! se fâche grand-maman.
Tu sais ce que je veux dire. On s'en sert
tous les jours !
Maman baisse la tête et dit :
— Non, je ne sais pas, maman.

Ma grand-mère a l'air si triste...
Elle semble si loin de nous, soudain.
Pourtant, elle est toute proche.
Maman soupire, l'air découragé.

J'essaie à mon tour de chercher le mot perdu.
Ça tourne et on s'en sert tous les jours…
—Tu veux du papier de toilette ?
— C'est ça, ma chouette !
Grand-maman rit maintenant.

Où s'en vont les mots de ma grand-mère ?
Avant, elle ne les perdait jamais.
Elle en connaissait de très très longs.
Ils sortaient de sa bouche à toute vitesse,
comme par « enchantement ».
Voilà un mot qu'elle m'a appris, justement.

Je veux que mamie redevienne comme avant.
Alors, je dois trouver la cachette des mots.
Je les attraperai tous dans un grand filet.
Et je les rapporterai. Chaque mot perdu retrouvera sa place.
Mais il faut que je fasse vite. Parce que grand-maman
perd de plus en plus de mots.

Maintenant, elle oublie même mon nom.

Elle me dit :

— Aide-moi à trouver mes clés, Francine.

Je m'appelle Élise. Sa sœur de 70 ans s'appelle Francine.

Ça n'a rien à voir avec moi !

Je demande à papa :

— Pourquoi grand-maman me mélange avec une vieille ?

Ça se peut pas !

— Sa sœur Francine a déjà été une petite fille aussi jolie que toi, Élise.

Moi, ça me fait tout drôle de penser à ça.

Papa m'explique que tout vieillit : les fleurs, mon chat Violon,
même le sofa du salon.

Tout à coup, j'ai une idée :
— Les mots vieillissent peut-être avec les gens.
Plus on les utilise et plus ils vieillissent.
Grand-maman a tellement utilisé ses mots
qu'ils sont tout usés.

Comme une robe portée pendant 70 ans !

Papa ne croit pas ça.
Pourtant, c'est bien ce qui a l'air d'arriver
à grand-maman.
Ses mots fatigués s'effacent peu à peu.
Et ils laissent ses phrases pleines de trous.
— J'ai mangé les… les… Tu sais, les…

Grand-maman reproduit une forme avec ses doigts.
On dirait celle d'un petit pot.
—Tu as mangé tous tes yogourts ?
— Oui, c'est ça ! Fais-moi penser d'en acheter,
quand on ira… avec Nathalie… Tu sais, là-bas…
— Au marché ?

Avec grand-maman,
j'ai l'impression de jouer aux devinettes.
Je suis très forte à ce jeu-là.
Papa m'appelle même « la petite rapporteuse de mots perdus ».
Pourquoi est-ce si facile pour moi ?
Je connais peut-être la cachette, après tout,
sans m'en rendre compte.
On dirait que oui...
Mais quand je rapporte ses mots à grand-maman,
elle ne les garde pas.
Pourquoi ?

Et si ma grand-mère n'avait pas perdu ses mots ?
Si elle ne les avait pas usés, comme ses robes ?
Si elle me les avait donnés, plutôt ?

Ça expliquerait bien des choses.
Donné, c'est donné.
Grand-maman ne pourrait pas les reprendre !

— Regarde, Francine, le joli… qui… qui…
— Le joli nuage qui s'effiloche, grand-maman.
— C'est ça, ma chouette. On dirait qu'il…

Grand-mère lève les bras.
Elle agite ses mains toutes légères.
Une grande fleur ouvre ses doigts-pétales au-dessus de nos têtes.
— Oui, grand-maman, on dirait que le nuage se fond dans le ciel,
comme par enchantement.
—Tu parles bien pour ton âge, ma chouette !

Grand-mère n'est pas fâchée de m'avoir donné ses mots.
Quand je les rapporte, elle me fait un beau sourire.
Papa s'est trompé.
Il y a des choses qui ne vieillissent jamais.
Il y a longtemps que grand-maman
utilise ce sourire-là.
Mais, lui, il ne s'use pas.